David Walliams

YN CYFLWYNO

PRESENTS

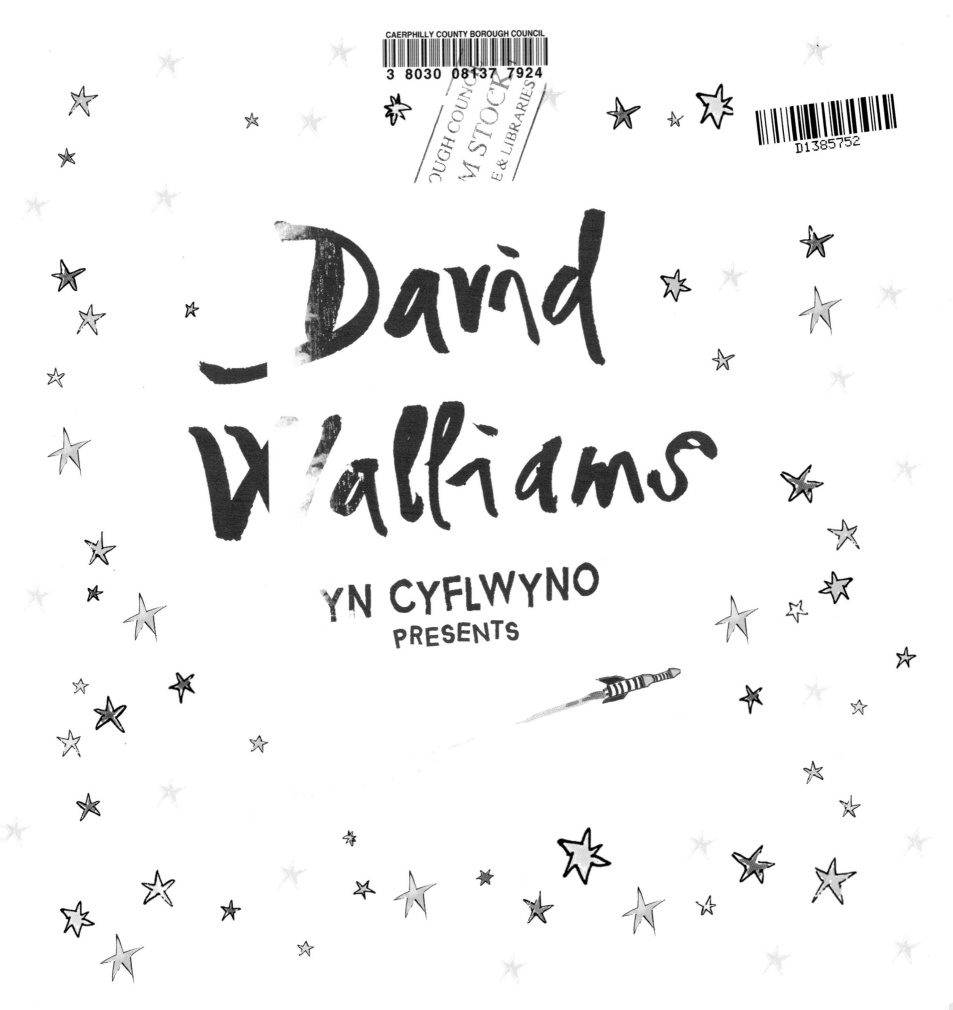

Cyhoeddwyd gyntaf gan HarperCollins yn 2014
Argraffiad Cymraeg gan Atebol Cyfyngedig 2015

ISBN 978-1910574119

Testun/Text © David Walliams 2014
Addasiad Cymraeg: Gruffudd Antur
Arlunwaith/Illustrations © Tony Ross 2014
Llythrennu enw'r awdur/Cover lettering of author's name © Quentin Blake 2010

Argraffwyd yn China

Yr HIPO CYNTAF ar y LLEUAD

The FIRST HIPPO on the MOON

Arlunwaith gan / Illustrated by

Tony Ross

SEILIEDIG AR STORI WIR

BASED ON A TRUE STORY

@ebol

I Zachary ac Elijah
D.W.

I Ben a Kate,
fy ffrindiau
newydd T.R.

Stori am **ddau hipo** ydi hon. Dau hipo, ond **un freuddwyd**.

This is the tale of **two hippos**. Two hippos with **one dream**.

Sef bod yr **Hipo Cyntaf** ar y

To be the very **First Hippo** on the Moon.

Roedd yr hipo **cyfoethog** – Caswallon ap Cynfelyn ap Cadwaladr – wedi talu am Orsaf Ofod **anferth** er mwyn cyrraedd y lleuad.

One enormously **rich** hippo – Caswallon ap Cynfelyn ap Cadwaladr – paid for a **gigantic** Hippo Space Centre to be built to blast him there.

Aeth ffrindiau Heulwen ati i **adeiladu roced.**

Heulwen's friends got to work **building** her a **rocket.**

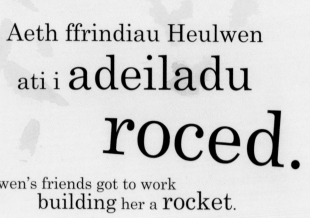

"Haws **dweud na gwneud!**"
"Well you could help me, dear!"

"Rheda'n **gyflymach!**"
"Quick as you can!"

Chwiliodd Elin yr Eliffant am y **boncyff coeden mwyaf** yn y goedwig.

Elin the elephant brought back the **biggest** tree she could find.

Aeth Glenys y Gorila i nôl y **winwydden hiraf.**

Glenys the gorilla fetched the **longest** vine.

Ac fe aeth Eilir yr Estrys i chwilio am y llwyth **mwyaf drewllyd** o **faw** rhinoseros.

And Eilir the ostrich was given the task of gathering the **pongiest** mountain of rhinoceros **dung.**

Ar ôl oriau, dyddiau ac wythnosau o waith, roedd y **roced** yn **barod** ...

After many days and nights the animals finally **unveiled** their **space rocket**...

Wel, roedd yn edrych yn **debyg** i roced.
Yn *eithaf* tebyg.

Well something that looked a **bit** like a space rocket. A ᵗⁱⁿʸ bit.

"Diolch,
gyfeillion!
Fy
hipo-po-roced
fy hun!"

"Thank you friends, it's my
very own hippo-po-rocket!"

Y cwbl oedd ar ôl i'w wneud oedd tanio'r baw rhinoseros
i anfon Heulwen i'r gofod.

All they needed to do now was ignite the
rhino dung and blast Heulwen into space.

"Ond sut?"
"But how?"

"Trïa rwbio dau o'r pethau pigog 'na yn erbyn ei gilydd i greu sbarc!"
"Try rubbing those two spiky thingummy bobs together to create a spark!"

meddai'r hipo.
instructed the hippopotamus.

"Pigog? Pa bethau pigog?!"
"Well thank you very much, dear!"

Ond cyn i Heulwen allu dweud **"I FFWRDD Â NI"**, dechreuodd fwrw glaw.

But before Heulwen could say 'off' it started raining.

A bwrw glaw. Glaw diddiwedd.
Roedd hi'n dymor glaw. Am bum mis cyfan.

It rained. And rained. And rained. It was rainy season. It didn't stop raining for five long months.

Ar ôl iddi stopio bwrw glaw, dechreuodd Heulwen gyfri i lawr **eto**.

The moment the rain stopped Heulwen began her countdown **again**.

"Tri! Dau! Un!

I ffwrdd â ni!"

"Three! Two! One! **Blast off!**"

Saethodd yr hipo-po-roced i fyny i'r gofod.

The hippo-po-rocket **shot up** into the sky!

Wrth i'r hipo fynd yn uwch ac yn uwch,
roedd y ddaear yn mynd yn llai ac yn llai,
a'r lleuad yn mynd yn
fwy ac yn fwy.

The hippopotamus watched
as the earth became smaller and smaller
and the moon became
bigger
and
bigger.

Ond yna,
yn nyfnder y gofod,
trychineb ...

But in deep space disaster struck...

Roedd Heulwen mor brysur yn bwyta ei brechdanau, wnaeth hi ddim sylwi ar be oedd yn **gwibio** tuag ati hi.

Heulwen was so busy munching on her shrub sandwiches that she didn't spot what was **hurtling** towards her.

Asteroid anferth.

A **giant** asteroid.

BŴm!

Roedd hi'n troelli'n wyllt drwy'r gofod. Roedd hi'n gwibio i gyfeiriad y lleuad.

She tumbled wildly through space. She tumbled towards the moon.

Chwalodd yr hipo-po-roced yn gannoedd o ddarnau mân, gan anfon yr hipo druan yn troelli'n wyllt drwy'r gofod.

The hippo-po-rocket smashed into hundreds of pieces, sending the shocked hippopotamus spinning wildly through space.

Fedrai Heulwen **ddim credu ei llygaid** pan laniodd ar ben yr hipo arall pan oedd hwnnw'n cymryd ei **gam cyntaf** un ar wyneb y lleuad.

To her astonishment Heulwen had landed on top of the other hippopotamus, just as he was taking his very first hippo-po-step on the moon's surface.

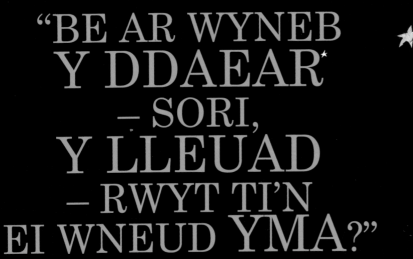

"BE AR WYNEB
Y DDAEAR*
— SORI,
Y LLEUAD
— RWYT TI'N
EI WNEUD YMA?"

"WHAT ON EARTH,
I MEAN THE MOON,
ARE YOU DOING HERE?"

"Ym ... ro'n i
isio bod yr
Hipo Cyntaf
ar y Lleuad."

"I... er... um...
I wanted to be the First
Hippopotamus on the Moon."

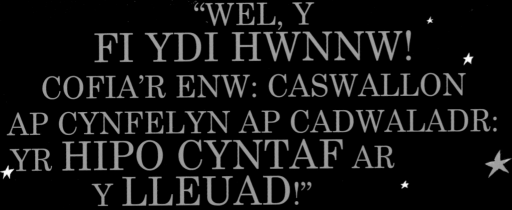

"WEL, Y
FI YDI HWNNW!
COFIA'R ENW: CASWALLON
AP CYNFELYN AP CADWALADR:
YR HIPO CYNTAF AR
Y LLEUAD!"

"WELL, YOU'RE NOT! I AM!
CASWALLON AP CYNFELYN AP CADWALADR!
REMEMBER THAT NAME.
THE NAME OF THE VERY
FIRST HIPPOPOTAMUS
ON THE MOON!"

"Pam na allwn
ni'n dau fod yr
Hipo Cyntaf
ar y Lleuad?"

"Can't we both be the First
Hippopotamuses on the Moon?"

Llusgodd Heulwen ei thraed yn ôl am yr hipo-po-roced â deigryn yn ei llygad. Roedd ei breuddwyd fawr yn **ddarnau mân**.

With a tear in her eye, Heulwen trudged off to the hippo-po-rocket. Her Big Dream had been **crushed**.

Yn sydyn, deallodd Heulwen nad oedd ganddi ddim syniad
sut roedd yr hipo-po-roced yn gweithio.

Seconds later Heulwen realised that she didn't
have a clue how the hippo-po-rocket worked.

Bwwwwwm!

Dechreuodd yr hipo-po-roced losgi wrth wibio drwy atmosffer y ddaear.
O fewn munudau roedd pen-ôl Heulwen
mor chwilboeth â'r haul.

Entering the earth's atmosphere the hippo-po-rocket soon began burning up.
Within moments the hippopotamus's bottom was blazing like the sun.

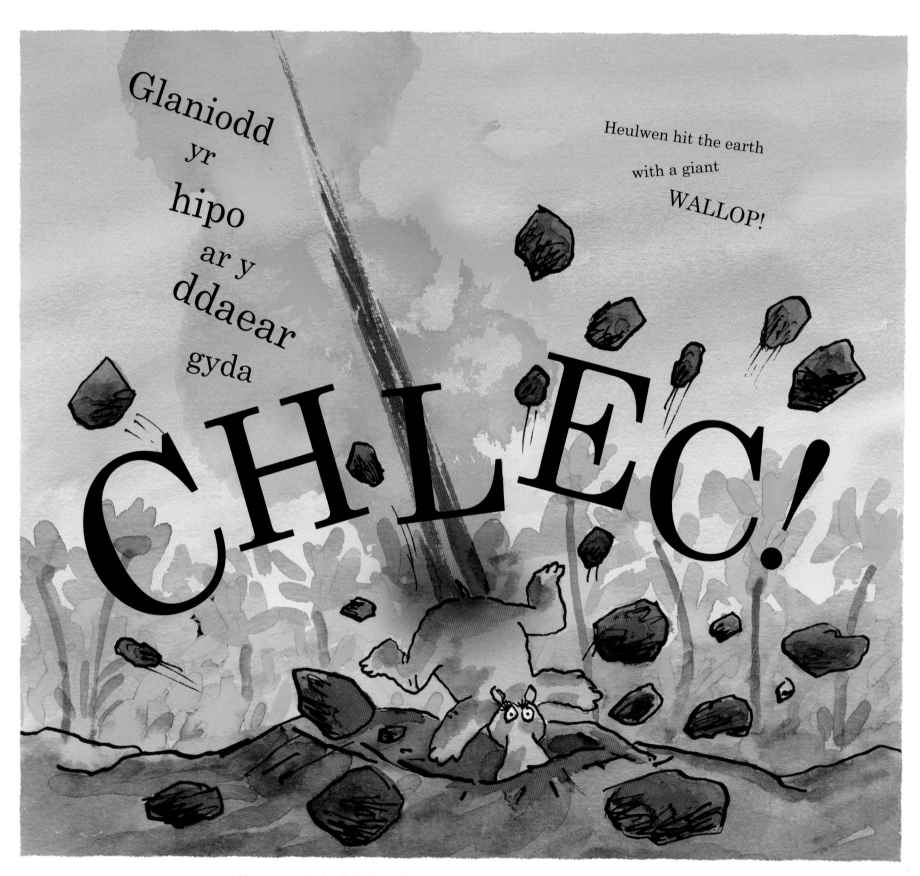

Glaniodd yr hipo ar y ddaear gyda

CHLEC!

Heulwen hit the earth with a giant WALLOP!

Gorweddai Heulwen yn llonydd ar y llawr,
a'i phen-ôl yn rhostio fel selsig.

She lay motionless on the ground, her bountiful behind sizzling like a sausage.

Ond wnaeth hi ddim deffro. Dyna'r diwrnod tristaf yn hanes y jyngl.

But she wouldn't wake up. This was the saddest day the jungle had ever seen.

Yna, yn sydyn, torrodd sŵn ar draws
y distawrwydd.
Then out of the silence came a sound.

Ppppppp...ppppppp...fffffffffttttttt!

Sŵn gwynt. Gwynt o'r pen-ôl. Edrychodd yr anifeiliaid
ar ei gilydd mewn penbleth. Oedd Heulwen yn iawn ...?

The distinctive sound of a bottom burp. All the animals stared at each other. Who would dream of letting one go at such a sad time?

Un arall. Un hirach a mwy swnllyd na'r un gyntaf. Heulwen!

Another one. Longer and louder than the first. It was Heulwen!

Roedd yr hipo-pop-pop wedi deffro Heulwen ei hun hyd yn oed.

The hippo-po-trump was so thunderous she woke herself up.

Roedd Heulwen bellach yn enwog ar draws y byd
fel yr Hipo Cyntaf ar y Lleuad.

Now Heulwen was famous all over the world as the very First Hippopotamus on the Moon.

TÎM HEULWEN ⭐

Wnaeth hi erioed sôn am yr hipo arall oedd wedi cyrraedd yno'n gyntaf.

She never mentioned the other hippopotamus who got there first.

Felly, da chi, peidiwch â dweud wrth neb.

So whatever you do, please don't tell anyone.